삶의 지평선 속에서

삶의 지평선 속에서

발　행 | 2024년 07월 02일
저　자 | 김예진
펴낸이 | 한건희
펴낸곳 | 주식회사 부크크
출판사등록 | 2014.07.15.(제2014-16호)
주　소 | 서울특별시 금천구 가산디지털1로 119 SK트윈타워 A동 305호
전　화 | 1670-8316
이메일 | info@bookk.co.kr
ISBN | 979-11-410-9231-3

www.bookk.co.kr

# 삶의 지평선 속에서

# 목차

## 제 2부 빛을 바라보며

빛이 나는 모든 이들에게
이 글이 안식처가 되기를

제 1부

## 해가 져버리는

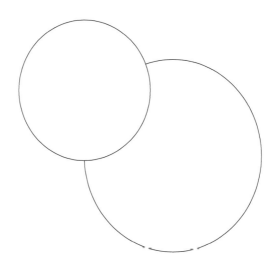

# 나의 바람아


부디 날 벚꽃의 잔향이 남아있는
그곳으로 보내주렴

여전히 꽃내음이 진동해
버틸 수 없을 정도로
정신이 혼미해지는 그 향을
나에게 다시 한 번만 전해주렴

봄의 숨결에 담겨있는
그 자그마한 온기가
나를 살아가게 할테니
아무 걱정 말고
나를 그 낙원으로 보내주렴

너와 나만이 알고 있는 그 환상 속에
아주 깊게 빠져들어
영원히 갇혀버려도 좋으니
날 그만 보내주렴

난 그곳에서
물을 따라 걸을 거란다

그렇게 길을 나서다 보면
어느 순간에는 다시 이곳으로 돌아오겠지

그러니 나에게 마지막으로 돌아올
그 꽃내음을 부탁하마

나의 바람아

# 그림자 속의 시든 꽃

너무나 높은 절벽 아래에
주저 앉아버렸다

이 절벽의 그림자 속으로
내가 사라져버렸을 때
당신이 날 알던 곳에
꽃을 던져줬으면 한다

나는 당신에게 그런 기억으로 남고 싶다

물살에 흘러가 더는
알아챌 수도 없게 된다면

날 보러 다시는 오지 말라고
떠나가버리라고
그리 말할 것이다

# 그리움의 결점

날 그리워하나요

그대를 버리고
멀리 떠나버린 나를
그리워하고 있나요

언제나 작았던 어린 새싹을
예쁘게 자라나게 해주었던 당신은
언제나 그랬듯
제 곁에 머무르고 계시지만

이제는 떠나가셨으면 합니다

그대를 그리워하는 나를
더이상 그리워하지 않으셨으면 합니다

# 기도

그대를 위하여
어쩌면 나를 위하여
기도하고 있습니다

내가 고통스러워도
당신만큼은 아프지 않기를

내가 불행하더라도
당신에게는 행운만 따르기를

당신의 모든 악을
내가 짊어질 수 있기를

그저 기도할 뿐입니다

# 벚꽃의 결말

벚꽃이 흩날릴 때
비가 내렸다

고인 물 앞에서
내 발은 망설이고

벚꽃잎들은 서로에게 의지하며
떨어지지 않고 버티지만

물웅덩이 속 떠있는 작은 꽃잎 하나
혼자 버티지 못 했다는 사실에
얼마나 서글퍼할까

그 꽃잎을 위해
처음이자 마지막으로
그 물웅덩이에 발을 넣는다

어느새 벚꽃은 졌다

# 선택의 도로

저기 오차선 도로에
많은 차들이 분주히 지나다닌다

신호등은 초록빛을 유지하지만
모두들 기름이 떨어질까 노심초사한다

여기 이차선 도로에는
소수들만이 서있다

신호등은 붉은빛에 머물러있지만
초록빛의 신호가 떨어지는 순간
우리는 한 길로 꽤 오래 달릴 것이다

자 이제 그대의 선택이다
그대는 어떠한 도로를 달릴 것인가

그대는 어떤 인생 위에서 바퀴를 굴리고 싶은가

# 인 간

찰나의 행복으로
영원을 꿈꾸고

순간의 불행으로
엔딩을 꿈꾼다

이토록 어리석은 것이
우리이고
인간이다

# 용서

푸르던 여름 바다에
떠밀려오던 순간을 기억하나요

그때 나에게 뻗었던 작은 손을
내가 잡았더라면
날 사랑해줬을까요

그 손을 뿌리치지만 않았다면
내 곁에서
환한 햇살처럼 웃고있었을까요

당신이 내 이름을 부를 때
그 목소리를 뿌리치고 도망친 것을
깊은 후회로 가슴에 새겼습니다

고개를 숙인다 해서
내 곁에 돌아오는 것은 아니지만
고개를 숙여봅니다

다시 돌아올 수 없는
그래서 더 소중한
그래서 더 그리운
당신께 용서를 구해봅니다

# 종이 비행기

나 혼자 있는 쓸쓸한 교실에서
노을의 빛이 들어오는 창 앞에 앉아
종이 비행기를 접어 날렸습니다

부디 저 종이 비행기가 저 멀리
닿을 수 없을 만큼 날아가기를

다시는 그대를 떠올리지 않겠다며
그대와 같은 종이가
저 멀리 날아가는 모습을
빤히 지켜봅니다

# 계절 속의 색

계절은 저마다의 매력이 있다

너무나도 하얗던 빛에서

옅은 초록빛이
세상에 나오려 기지개를 펴는 계절에는
기대가 부풀고

쨍한 푸른빛이
온 세상을 아름답게 만드는 계절에는
소망을 꿈꾸며

노란 붉은빛이
숨을 내쉬며 체온을 낮춰주는 계절에는
사랑을 깨닫고

다시 새하얀 색이
새로운 페이지로 넘기는 계절에는
나를 알아간다

그래서 스스로에게 물어본다

나 라는 계절은
어떤 매력을 지니고 있는가

# 바람의 속삭임

괜찮다
버틸 수 있다
그렇게 말해본다

두려운 마음을 감춰내며
이렇게 한발짝 더 내딛는다

가까워진다
더 큰 것이 되어 다가온다
그렇게 날 덮치려 한다

더이상 숨길 수 없게 되버려
이제 가만히 서있을 수 밖에 없다

두렵다
더이상 마음 속에 묻어둘 수가 없다
그렇게 위태로워 져버렸다

내 온몸을 덮은 그것은
이제 나에게 떠나라고 외친다
멀리
더 멀리
그렇게 가버리라고
나에게 외친다

# 노란빛 그림

그림 속 소년과 소녀

노란 햇빛을 피해
노란 나무 아래에서
노란 돗자리 위에 앉아
노란 레몬맛 사탕을 먹으며
노란 책을 보고 있는

눈을 찡그린 화사한 웃음의 아이들이
바로 우리야

저 그림 속 장면은
아마 다시는 돌아오지 못 하겠지만
그래서 더 경이롭고 찬란하게
기억할 수 있는 거 아니겠어

# 하늘의 별

닷새동안 같은 위치에 서서
같은 하늘을 쳐다본다

깊이 패인 달
한없이 반짝이는 별

닷새동안 보지 못 한 너를
이렇게 본다

하늘에 자신을 크게 남겨둔 너를
실망시키지 않기 위해
네가 만족할 때까지
이리 매일 널 보러 온다

# 익사

졸음이 파도에 실려
밀려들어온다

내 눈을 밝히던 바다는 어느새
내 목을 조르는 재앙이 되었다

바다의 물결은 날 끌어당기고
바다의 푸른빛은 정신을 잃게 만들며
바다가 품고 있는 보물들은 날 비웃는다

그렇게 난 나의 바다 속에서
아름답고
찬란하게
익사하는 중이다

# 현실의 초침

너무나도 잔혹한 꿈을 꾸었다

꿈에서 깨어났을 때에는
부디 밝은 아침이기를

두 눈을 꼭 감고
양손으로 귀를 막았다

그 손 틈새로 들어오는 시계 초침 소리는
마치 날 재촉하기라도 하는 듯
계속해서 흘러간다

만약 눈을 떴을 때
여전히 시계 흐르는 소리가 들린다면

이것이 내 현실인 거겠지

# 욕심은

나를 쳐다봐주세요
나를 보고 웃어주세요

나와 함께 이야기 해주세요
나와 함께 하고 싶다고 말해주세요

나에게서 멀어지지 않겠다고 약속해주세요
나에게서 부담을 느끼지 말아주세요

나 말고 다른 이는 보지 마세요

# 새벽 공기, 그리고 너

새벽녘에 네 생각에 잠들지 못하고 있어
눈을 감아도 네가 보이네

새벽의 고요하고 잔잔한 공기가
날 감싸고 있을 때
그게 네가 되길 빌어

이 새벽 공기에 갇힌 감정이
부디 끝까지 그대로 남아있길

널 생각하며
난 또 내일을 기다려

# 미화된 여름밤

집 앞의 작은 벤치에 앉아
짧은 반바지를 입고
손으로 부채질을 하며
너와 함께 앉아 이야기를 나누고 있어
뜨거운 바람이 불어와
내 머리를 헤집고 도망가는 순간마저도 좋아
자칫하면 끔찍했을 이 여름공기에
너와 함께해서
나의 여름밤은 행복할 거야
여름밤은 나에게 깊게 스며들고
너도 나에게 깊게 스며들어
결국 다음 여름밤에도 난 널 그리워하겠지
너도 이 여름밤을
그리워하길 바래

# 절망의 파도

너 이제 곧 죽을 거야

이 한마디에
절망과 슬픔의 파도보다

안도감과 걱정의 물살이
먼저 밀려들어온다

안도감은
더이상의 아픔이 없는 것에 의한
걱정은
남겨진 이들의 아픔에 의한

그래서 난 절망과 슬픔의 파도로 달려간다

나를 위하는 이들을 남겨두고
어딜 갈 수 있겠는가

절망과 슬픔으로
극복해야 한다

그렇게 또 버텨나가다 보면
나는 새로운 감정의 파도에 몸을 맡기게 될 것이다

# 여름비

비가 내리네요

여름의 비가 머리 위로 떨어지면
여름의 향기가
푹 젖은 땅의 냄새와 함께
그대의 추억을 되살립니다

여름의 지긋한 향기가
나를 괴롭히기에
어서 빨리 이 여름이 끝났으면 합니다

그대를 더이상 떠올리지 못하도록
이 여름의 비가 더이상 내리지 않았으면 합니다

# 시스투스

전 시스투스입니다

누구에게도 굽히지 않는 마트리카리아
따뜻한 마음을 지닌 미니델피늄
언제나 긍정적인 메리골드

전 그들 사이에 자리하고 있어요

그들이 자라날수록
저의 공간은 좁아지고

날 보러 오던 이들이
이제 저에겐 관심조차 보이지 않아요

저들 때문에 그런 거구나
그런 생각이 듭니다

그렇기에 전 내일 죽습니다

# 꿈의 꽃을 피우며

꿈 속에서 피어있는 당신을 보고
꿈인 걸 알아챘어요

당신이 준 푸르른 꽃이
다른 이가 내 마음에 꽂은 칼보다 아파서
당신을 잊고 싶어도 잊을 수가 없습니다

이 꿈에서 당신에게 꽃을 돌려드릴테니
부디 이제 아픔을 주지마세요

꿈에서 아는 체 하지 않을테니
모르는 척 눈을 감고
제 꽃을 받아주세요

이 푸르른 꽃이
다이아 같은 눈물이 될 때까지
이 꿈에 머물러있을테니
그때까지만 절 바라보세요

당신의 것인 꽃이 자유를 택할 땐
저에게도 자유를 주세요

당신의 앞에서 때가 될 때까지 기다리겠습니다

# 나비의 날갯짓

실타래에 엉켜있는 나비가
날갯짓을 한다

그리해도 벗어나지 못 한다는 것을 모르고
계속해서 날개를 펼친다

그 실타래로 옷을 뜨며
엉켜있던 것들이 풀려
나비가 날아오를 준비를 한다

그렇게 옷이 다 짜여지고
나비는 날아들었다

하지만 얼마 못 가
나비는 또다시 실타래에 엉켰다

나비는 또 다시 날갯짓을 한다

# 여름의 노래

한참 무르익는 여름의 소리가 들린다

여름의 소리에 맞춰
한 소녀가 노래를 부른다

하지만 여름의 소리는 노랫말을 뚫고 나와
그 목소리를 알 수 없도록 했다

여름의 소리가
소녀의 입을 막고

어느 누구도 소녀에게 귀를 기울이려 하지 않는다

소녀의 답답한 숨소리마저
여름이 한아름 담겨있는
노래 소리로 들릴 뿐이었다

우리 모두에게 소녀의 신음은
한참 무르익던 여름의
새로운 꿈일 뿐이었다

# 잊혀진 이야기의 끝

이 도서관에는
한 소녀의 역사가 담겨있어

책에서 알려주는 그 소녀는
손목에 장난스러운 낙서가 새겨져있고
아주 날카로운 눈매를 가지고 있대
매일 쓴 사탕을 먹고 눈을 살며시 감고 있대

근데 왜인지
어느 순간부터 소녀의 책이 더이상 나오지 않는 거야

소녀가 어딘가 떠났다나봐
높은 계단을 올라
세상이 눈물을 머금도록 했다더라

아마 나의 도서관도
곧 문을 닫아야겠지

# 하늘의 뜻

하늘이여
어찌하여 내게 등을 보이는가
마냥 원망스럽기만 하다

뜻이 있다며
그 바다를 갈라 남들을 이끌 때
왜 나는 버려두는 것인가

어찌하여
나에겐 말 한 마디 해주지 않는 것인가

저 깊은 곳으로 빨려들어가
헤어나오지 못 해 허우적대고 있는데
하늘은 무심하게도
손길 하나 뻗어주지 않는구나

허나 내가 두려움에 떨고 있어도
날 버려두는 하늘을
믿을 수 밖에 없다

원망스러워도
하늘의 뜻이겠거니
그리 믿으려 한다

# 사랑의 결말은

이 지겨운 사랑은
언제가 되어야 끝날까

이 이야기의 끝은
어떤 결말을 지니고 있을까

새드엔딩
해피엔딩
배드엔딩

그 중 어떤 것도 맞이하기가 두려워
망설이다 기회를 놓쳐버린다

점점 멀어져가는 너를 보며
난 아무 말도 하지 못한 채
그저 멀리 떠나는 너를
눈물로 보내줄 뿐이다

# 눈부신 무대 속에서

무대의 막이 열렸다

화려한 날개를 펼치고 있는 공작
조용히 자신의 아름다움을 뽐내는 꽃
모두를 포용하고 보듬어주는 풀
그 무엇보다 큰 자태를 가진 바다

이 연극에서의 조명은
내가 아닌 그들에게 비춰져있다

내가 쓴 대본
내가 만든 환경
내가 구성한 등장인물
그 사이의 주인공인 나

하지만 난 아무것도 깨닫지 못한다
다른 이들이 날 빛내주기 위하는 것도 모르고
그저 시기만 한다

아아
얼마나 한심한 일인가

이 연극이 끝나기 전에는
알아채야겠지

# 남겨진 이들을 위하여

강한 파도가 몰아치는 바다 위에 서서
그대를 지키기 위해
나를 지키기 위해
저 거센 파도를 막아보려 하였지만
어찌 손만으로 저 거대한 파도를
막을 수 있었겠소

부디 저 파도가
우리 뒤의 이들에게만큼은
가벼운 바람처럼 지나가기를
바라야겠소

# 꽃 만개의 이별

꽃이 만개할 즈음에
우리의 사랑은 져버리겠지만
괜찮습니다

그대만 행복하면 그걸로 됩니다

제 2부

# 빛을 바라보며

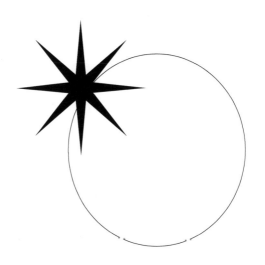

# 물음표의 자수

누가 밤하늘에
저리 아름다운 별을 수놓았단 말인가

저 하늘에 떠 있는
자수같이 아름다운 별이
땅에 곤두박질치는 순간
그대에게 말할 것이다

이제 그만하자고
모든게 끝이라고

그러니 그 전까지는
나와 이 밤을 걸어주겠냐고
물음표를 건네본다

# 새로운 것에 대하여

전구가 굴러와
내 발 앞에 멈췄다

빛을 번쩍이며
나에게 상냥함을 건네자
나는 그 포근함에 잠긴다

다음 땅으로 가려는 순간
날 밝혀주던 전구가
깨지고 만다

산산조각난 전구를 보며
허망함의 눈물을 흘리고
다시 처음으로 돌아간다

# 절벽 끝의 하늘

너무나 캄캄한 하늘이
날 집어삼킬 듯 몰려와
더이상 노를 저을 수가 없다

뜻대로 가지 않고
물결대로 흘러 내려가는
이 작은 돛단배는
어느새 낭떠러지를 마주했다

너무나 두려워
다시 노를 젓는다

노를 젓고
젓고
또 젓다보니

다시는 못 볼 것 같았던
푸른 하늘이
두 팔을 벌리며
나를 맞이해주었다

# 집으로 향하는 길

단발머리 소녀가 길을 거닌다

나비가 날아다니는 산책로
물 흐르는 소리 가득한 강가
먼지를 날리는 공사장

이어폰을 꽂고
가장 좋아하는 노래를 들으며
계속해서 걷다보면

결국 소녀는 그녀의 집에 도착할 것이다

# 소망

한없이 울고싶던 날
그래서 더욱이 보고 싶던 날
그대는 알았을까
날 보고 반겨주는 그대 얼굴을 보고
얼마나 기뻤는지
얼마나 행복했는지
그대는 절대 모를 것이다

불꽃이 푸르게 이르고
그 불꽃에 홀려
크게 데이고 나서야
여태까지의 상처를 돌아보게 된 나를
다정하게 안아주며
수고했다 속삭이는 그대의 말에
얼마나 큰 아지랑이가 날 덮쳤는지
그대는 절대 모를 것이다

언제나 해를 바라보는 해바라기 같은 그대가
변해버릴까 두려워했던 나날을 후회하며
그대만큼은 내 곁의 영원한 이로 남기를
소원하고
또 소망하며
그리 기도해본다

# 혼자 서는 법을 알려준 당신에게

어딘지 모르는 길을 걷고 있습니다

그저 발걸음이 가는대로
전 따를 뿐입니다

그때 지나가던 까마귀가 절 이끌고
당신에게로 데려갔습니다

나의 어둠을 벗겨내고
기쁨을 들려주시던 당신이
아마 오랫동안 기억에 남을 것입니다

그 기억을 깊이 품어두고
전 제가 갈 길을
정해보려 합니다

그 길에 당신이 함께 하지 못 한다 해도
괜찮습니다

당신에게로부터 혼자 걸어가는 법을 배웠으니까요

# 마음 전달

장미가 한 송이 피었기에
이를 꺾어
사랑을 전하려 하였다

세잎클로버에
마음을 담아
행운을 전하려 하였다

붉은 사과나무 아래에 서서
보이는 풍경들로 너에게
고마움과 미안함을 전하려 하였다

그렇지만 붉은 마음의
두려움이 걷잡을 수 없이 커져가
너에게 그 무엇도 닿지 못 했다

그러니 시간이 지나면
부디 이 마음이
회색빛으로 바래지 않고
너에게 닿기를
그저 바랄 뿐이다

# 돌

나는 돌이 될 것이다

너무나 반짝여 보석같은 돌
단단한 몸을 가지고 있는 돌
특이한 모양을 가져 이목을 끄는 돌

난 그 중 어느 것도 되지 않을 것이다

사람들에게 치이고
자동차에게 밟히고
벌레들이 피해가는

그저 그런 돌이 될 것이다

그렇게 깎이고 상처가 나면서
성장할 것이다

나는 돌이 될 것이다

# 새벽의 절망과 희망

어둠 속에 길을 잃은 밤
고요히 울려퍼지는 슬픈 숨결
하늘은 회색빛 물들고
희망은 저 멀리 사라져간다

차가운 바람이 불어와
마음을 더욱 얼어붙게 하고
기억 속의 따뜻한 순간들
이젠 그림자만 남았네

눈물 속에 잠긴 눈동자
희미한 빛조차 닿지 않으니
텅 빈 가슴은 메아리쳐
홀로 남은 고독의 노래를 부른다

끝이 없는 이 어둠 속에서
한 줄기 빛을 찾아 헤매고 있지만
삶의 무게에 짓눌린 영혼은
다시금 일어나기 힘겨워하네

그러나 이 밤도 언젠가
새벽의 빛을 맞이하리라

고통 속에 피어날 작은 희망
그것만이 나를 버티게 하네

# 서로에게 향하는

첫 걸음에는
내가 그대에게로

다음 걸음에는
그대가 내게로

그 다음에는
우리는 서로를 기대하고 있다

그러니 서로가 서로를 알아볼 수 있도록
더욱 반짝이자
이 순간이 영원할 것이라 믿으며
찬란히 빛나자

# 여명의 행복

커튼이 열려있다

밝은 빛이 점점 새어 들어오는 것을 보니
아침이 다가오고 있구나

아름답게 지저귀는 새들
부드럽게 날 깨우는 햇살
너무나 따뜻한 공기의 냄새
파란 하늘과 피어있는 구름꽃

이 모든게 나에게는 행복일터이니
커튼이 닫히지 않았으면 한다

내가 이 창밖의 모습을
절대 잊지 않았으면 좋겠다

그리고 나중에 꼭
누군가에게
이 행복을
선물해줘야겠다

# 수평선

물결의 끝맺음과 하늘의 마지막이 만나
수평선을 이룬다

하늘 끝의 붉은 구가
일렁이는 파도에 비칠 때

누군가는 울고
누군가는 웃는다

시간이 지나
어두운 밤의 수평선은 아무것도 보이지 않아
그저 극소수만이 이와 눈을 맞추겠지만

비로소 그때가 되어서야

그들만이 내일로 넘어갈 준비를 한다

# 도화지

넌 흰 동백꽃 같았어
어쩌면 아슬아슬하게 버티고 있는 눈송이 같기도 했고
마치 새로 뽑은 종이 같기도 했지

근데 그게 지금은 어찌 되었던
넌 하이얀 빛을 띄고 있었다는 건
변하지 않아

이제 네 시간이야

흰 것 위에 색을 뿌려
너를 만들어 가
그 누구도 참견하지 못하도록
물감을 흩날려

난 너의 작품을 가장 사랑하는 관객이 될게

# 불행의 결실

모두가 나에게
불행의 그늘 안에서 자란
불쌍한 새싹이라고
손가락질을 한다

남들이 따뜻한 햇살을 받으며 잠들 때
난 고단하게 줄기를 뻗었고

남들이 시원한 바람을 맞으며 춤을 출 때
난 악을 쓰며 몸을 활짝 폈다

남들과는 다르게
남들보다 힘들게
그리 자라고 나니 알 수 있었다

난 누구보다 크고 아름답고 강한 존재라는 것을

# 휴식


아이들이 뛰어노는 놀이터
가족들이 산책하는 길가
연인들이 웃고있는 공원
친구들끼리 수다를 떨고있는 카페

그 중 내가 있을 곳은 아무 곳도 없다

좁은 골목
높은 계단
깨진 가로등

그 길들을 지나다보면
나의 휴식처가 나온다

나의 집 문을 열고
신발을 벗는다

# 대가 없는 사랑

당신이 대가 없이 베푸는 사랑이
두렵습니다

나는 당신에게
무엇을 드려야합니까

당신은 어찌 나를 사랑합니까

같은 나무에서 자라
조금은 다른 속도로
어쩌면 전혀 다른 형태로
점점 자라나고 있는 우리는
서로를 사랑합니까

당신과 나는 너무나도 달라
당신의 씨앗이 무엇인지
아직 모르겠습니다

그렇지만 나 역시
당신을 사랑하겠습니다

당신의 사랑을 받고
당신에게 사랑을 드리겠습니다

나도 이제 대가 없는 사랑을 하겠습니다

# 당신을 위한, 나를 위한

내가 없이는 살아갈 수 없다는 당신 앞에서
이 세상을 벗어나 훨훨 나는 꿈을 꿔봅니다

그러다 제대로 걷기도 힘든 당신을 보고는
눈물을 흘리며 다시 땅에 발을 딛습니다

무릎을 꿇고
서로를 끌어안으며
언젠가 당신이 날아오를 모습을 보기 위해
잠시 날개를 접어둡니다

# 놓지 못하는

이 험난한 현실에서
아직 놓기 싫은 꿈이 있어

저 간험한 삶의 능선에서
가끔은 포기해버리고 싶지만

결국 다시 한 번 붙잡아
그 꿈을 향해
계단을 오르는 중이야

# 날개

그대는 어떤 날개를 지니고 태어났는가

아지랑이 피어오르는
땅 속에서 자라난 그대는
어떤 날개를 지니고 있는가

울창한 나무 가득한
산 속에서 버텨낸 그대는
어떤 날개를 지니고 있는가

비가 한가득 고여있는
그 바닥을 딛고 일어난 그대는
어떤 날개를 지니고 있는가

사람들은 모두
저마다의 날개를 지닌다

그 속에서 너는 어떤 형태로
날아오를 준비를 하는가

그대는 어떤 날개를 지니고 날아오를 것인가

# 밤의 향연

어둠이 내려앉은 숲 속
별빛이 반짝이는 하늘 아래
달빛이 부드럽게 춤을 추며
밤의 향연이 시작되네

은은한 초 향기 피어오르고
바람 속 속삭임이 음악이 되어
나무 사이 춤추는 그림자들
자연이 빚어낸 연회의 무대

와인빛 노을이 지나간 자리엔
푸른빛 불꽃이 타오르고
고요한 침묵 속에서 들리는
평온한 자연의 소리

서로 다른 모습들이 어우러져
하나의 하모니를 만들어내고
밤의 신비가 생겨나는 순간
밤의 향연의 피날레가 시작되네

이 밤의 향연은 끝이 없으리
하늘의 별들이 빛을 잃기 전까지
새벽이 오면 꿈처럼 사라지겠지만
내일도 밤의 향연은 계속되리라

# 사랑에게 작별 인사

나를 잊은 당신을 원망할 생각 없습니다

내가 떨쳐낸 것에 미련을 갖는
바보같은 짓은 더이상 원치 않습니다

파아란 하늘을 바라보며
내 앞에 나없이 행복한 당신을
잊어보려 합니다

나의 행복을 앗아간 모든 것을 사랑하는 당신께
작별을 고해봅니다

# 네가 어떤 모습이든

네가 무한의 우주에
순간의 빛일지라도
널 좋아해

네가 광활한 바다의
작은 파도일지라도
널 좋아해

네가 깊은 숲 속의
작은 새싹일지라도
널 좋아해

내가 어떤 모습이든지
사랑해주는 네가 어떤 모습이든
널 사랑해

# 영원한 이별의 경계선

저기 아름다운 차림을 한 뱃사공은
분명 날 데리러 온 것일테니
어서 가야한다

칠흑 같은 어둠에서
날 데리러 온 저 이에게
어서 달려가고 싶구나

그런데 어찌 너는
날 계속해서 붙잡는 것이냐

마치 떠나지 말라는 듯
예쁘게 포장된 말들을 건넬 때마다
난 뱃사공으로부터 멀어진다

그렇다면
점차 뱃사공이 안 보일 때 즈음
나의 손을 잡아주렴

내 손을 잡고
저 멀리로
뛰어가주렴

# 다양한 색의 너를 위해

너와 나의 세상은
언제나 붉은빛이 가득했어

그 빛을 한아름 집어삼키면
세상을 삼킨 듯
마음 한구석이 아른해졌지

붉은 달이 핀 날
붉은 꽃을 들고 내 앞에 서
붉은 마음을 전해주던 너를 잊을 수가 없어

네가 돌아올 날을 기다리며
나는 다른 색으로
내 세상을 채워가고 있을게

언젠가 나에게도 네가 있는 곳으로 가는 길을
알려줄 것이라 믿으며

붉은색이 아닌
푸른색
노란색
초록색

더 많은 색으로
너에게 돌려줄 나의 마음을
칠하고 있을게

# 어제, 오늘, 그리고 내일

어제와 오늘 사이에서
빛을 잃은 길을 찾는다

오늘과 내일에서 가야할
새로운 길을 맞이하기 위해서

난 어제의 어둠을 헤집고
오늘의 빛을 준비한다

그 빛이 사그라들 때 즈음
내일의 빛을 그려봐야겠지

# 연화 위의 황혼

배를 타고 노를 젓는다

작게 피어있는 연꽃을 지그시 응시하며
잠시 쉬어간다

오리가 떠다니고
물결이 일렁이며
해가 져간다

연꽃은 어둠에 잠겨
작은 숨을 몰아쉬고

나도 그 옆에서 옅은 숨을 뱉어본다

떠있는 배 위에
두려움을 떨치고 누워
하늘에 떠있는 별을 바라보다보면
순간 깊은 잠에 빠져

다시 아침을 맞는다

# 과거의 나, 오늘의 나


한껏 울적했던 그날의 나에게
미안함을 건넸어요

그날의 나는
오늘의 나에게
모든 걸 떠넘겨서 미안하다
말을 건넸네요

우리는 서로 용서하기로 했습니다

그날의 공기와
오늘날의 공기는
분명 다를 테니까요

# 책장을 열며

아무것도 보이지 않는 캄캄한 어둠 속
내가 담긴 책을 펼쳐본다

버릴 수 없는 인연의 페이지
이미 해져 버린 옛 추억의 페이지
고통이 한아름 담겨있는 페이지
많은 것을 사랑하던 페이지

이 책을 다 읽고 나면
새로운 책을 쓰기 시작해야겠지

# 찬란한 네 곁에

있잖아

너는 너무나도 찬란해
정말 눈부시도록

그러니 괜찮아
잘하고 있어

아무도 모르는 눈물을 흘릴지라도
금방 이겨낼 거야

언제나 네 곁에 있을게

# 삶의 지평선 속에서

스스로 버리기엔 아까운 삶
지니고 있기엔 버거운 삶

그 삶을 우리는 또 하루 버텨나가고 있다

예상치도 못 한 나무가 나의 그늘이 되어주고
가끔은 모르는 이의 품에서 따뜻함을 느끼듯

이 이야기가 당신께
한 조각의 위로가 되었길 바란다

우리는 버텨낼 것이고
이겨낼 것이며
살아갈 것이고
행복할 것이다

우리의 이야기는 아직 끝나지 않았다

이제 펜을 들고
다시 우리의 삶을 써내려가자

## 작가의 말

   시집 [삶의 지평선 속에서]는 우리가 삶을 살아가면서 충분히 겪을 수 있는 감정들을 담고 있습니다. 처음 책을 내보기에 인상 깊고, 의미 있는 글들을 담아야 한다고 생각했습니다. 하지만 글을 쓰며 서투른 부분이 드러나는 것이 느껴졌고, 그러한 과정에서 '나'를 만날 수 있었습니다. 날 사랑해주는 이들이 아니었다면 이미 존재하지 않았을 나를 보고는, 처음으로 나를 전해야겠다는 생각이 들었습니다. 그래서 전 글의 표현에 더욱 신중해지게 되었습니다.

   우선 제목에 나와 있는 지평선은 땅의 끝과 하늘이 만나는 선을 의미합니다. 그리고 저는 그 지평선을 우리의 마음 안에서 충돌하는 부정적인 것과 긍정적인 것의 중립선이라고 생각하였습니다. 그래서 시집의 초반부에서는 부정적이고, 불확실한 자신의 의견이나 생각에 혼란스러워하는 모습을 담았습니다. 하지만 후반부에서는 작의 초반부와는 다르게 희망을 가지고 앞으로 나아가려는 의지가 있는 모습을 담게 되었습니다.

저는 이러한 모습들을 통해 누구나 존중받고 사랑받아야 할 여러분들에게 위로와 응원을 전하고 싶었습니다. 누구나 그럴 수 있고, 본인은 그 누구보다 소중한 존재라는 것을요. 자신만 탓하거나, 또는 남만 탓하며 삶에 지쳐 살아가다보면 결국 우리는 많은 것을 잃게 됩니다. 저는 그러한 상황에서 여러분들이 이 시를 읽으며 긍정적인 마음을 얻길 원합니다. 그게 아니더라도, 이 시가 그저 여러분의 작은 안식처가 되길 바랍니다.

여러분들께 정말 하고 싶은 말은 절대 스스로 생을 놓아버리지 말라고, 힘들더라도 그 힘듦보다 더 큰 행복을 기대하고 희망하며 그렇게 살아가라고 전하고 싶습니다. 우리의 미래는 더욱 찬란하고, 또 더 행복하게 만들어질 테니까요.
그래서 여러분들께 안부 인사를 건넵니다.
"잘 지내고 계시지요?"


저를 항상 사랑해주시고, 언제나 지지해주시는 가족들과
저에게 영감을 주고, 언제나 용기를 북돋아주던 친구들에게
감사함을 전합니다.